FORMA E COLORE
I GRANDI CICLI DELL'ARTE
Il Duomo di Modena
di Arturo Carlo Quintavalle

Sadea/Sansoni Editori

Lanfranco, Wiligelmo, questi i nomi che due famosissime iscrizioni hanno tramandato, rispettivamente dell'architetto e del principale scultore attivi alla Cattedrale di Modena; e ancora due date conosciamo, il 1099 ed il 1106, rispettivamente quelle della fondazione della Cattedrale e della traslazione in essa del corpo del santo eponimo, San Geminiano. La storiografia, specie romantica, facendo forse leva proprio su questi due superstiti nomi, tanto rari in altri monumenti romanici giuntici anonimi (come Cremona, come Piacenza, come la primitiva Cattedrale di Parma), ha in modo particolare studiato questo monumento, ma sempre includendolo nel consueto schema geografico-culturale che lo vede caratteristico rappresentante della cultura 'lombarda'. E così quindi, fino alle grandi e sempre fondamentali ricerche del Porter, la Cattedrale di Modena figura appunto come monumento dell'architettura romanica lombarda, come il Sant'Ambrogio a Milano, il San Michele a Pavia, il Sant'Abbondio o il San Fedele a Como.

Eppure basta esaminare le architetture della Cattedrale di Modena, quali ci si presentano attualmente, magari spogliandole idealmente delle volte tardocampionesi (XIII secolo avanzato) e restaurate poi nel secolo XV, per rendersi conto che la cultura di questo edificio è profondamente differente da quella degli altri ricordati. Là il tema principale è appunto quello della copertura a volte, del bloccare uno spazio interno nella misura ritmica e spazialmente definita della grande copertura chiara, come appunto al Sant'Ambrogio; qui a Modena invece la misura è non solo distinta ma opposta: Lanfranco crea un modulo proporzionale differente degli spazi, due cubi sovrapposti nella nave centrale e nelle minori, una copertura quindi a capriate, limitata forse sotto da un velario, e una serie di matronei non agibili con funzione semplicemente calibratrice e filtrante degli spazi architettati, modulare diremmo adesso.

Ma se il raffronto degli interni è indicativo, quello degli esterni appare anche più evidente e dimostrabile; alle lesene ed al cotto sensibile alla intensità e varietà delle cadenze luminose che segna l'esterno delle maggiori chiese lombarde e che illustra la tradizione architettonica paleocristiana e ravennate delle basiliche con un materiale tipicamente 'settentrionale', Lanfranco coscientemente sostituisce, in una particolare atmosfera culturale che ci studieremo di definire, la pietra, l'arenaria e la pietra d'Istria o il bianco di Verona, le due ultime pietre dure, perfettamente squadrate e sovrapposte, a formare il rivestimento continuo all'esterno della Cattedrale. Ma questa poi, rispetto alle chiese lombarde, ha anche una caratteristica particolare ed inconfondibile, una caratteristica che forma la 'struttura' di una intera scuola, si tratta appunto della reinvenzione delle emicolonne addossate legate da arcate che chiudono in alto una trifora, emicolonne che non hanno precedenti diretti nella zona né fuori e che escono da una coscienza storica della Cattedrale, delle sue funzioni, del suo rapporto con il centro urbano. Ed infatti chi esamina la tipologia storica della città emiliana vi individua alcuni elementi costanti, tale la pianta quadrata iniziale romana mantenutasi in epoca ulteriore, certamente fino al periodo teodoriciano, e comunque dato stabile dell'aspetto del centro 'storico'; attorno si vengono creando i borghi ma le mura antiche sono mantenute o limitatamente ampliate fino al grandioso sviluppo urbano proprio del secolo XII. Ebbene, sul piano dell'architettura della città, la Cattedrale viene coscientemente posta nella stessa posizione dei due altri tipi di edifici classici esterni alle mura, e cioè teatro ed anfiteatro; la Cattedrale cioè recupera la tipologia storica di quegli edifici; è qui infatti, piuttosto che nei templi, con cui si potrebbe pure confrontare l'esterno di Modena, che ritroviamo le colonne addossate, i grandiosi capitelli, il sistema a paramento continuo. Lanfranco quindi assume coscientemente questo aspetto tipologico esterno mentre all'interno, riutilizzando genialmente colonne classiche e capitelli classici però riscolpiti (da Wiligelmo probabilmente), riprende alcuni temi della iconologia basilicale ma spezzandone uno degli aspetti più caratterizzanti, cioè la continuità dello spazio e quindi del percorso: infatti la struttura della Cattedrale non è continua ma alternata, cioè una colonna si alterna con un pilastro polistilo portante le coperture, mentre appunto la colonna regge soltanto il paramento tra due pilastri. Tra un pilastro e l'altro sono tesi ancora dei divisori trasversali, isolanti quasi lo spazio geometrico, a segnare — si è visto — la modularità dell'insieme. Le manomissioni subite dall'architettura e dalla scultura sono tante ma cronologicamente fissabili attorno a un momento principale, l'epoca campionese, quando appunto, tra 1160 circa e 1230, vennero profondamente sovvertiti i fondamentali parametri della visione interna stabiliti da Lanfranco e, ancora, completamente sconvolto il tipo di arredo plastico interno inventato da Wiligelmo.

La cronologia iniziale dell'architettura ed il nome del loro autore sono stabiliti con chiarezza da una iscrizione fissata alla parte absidale della chiesa, né vi è ragione di dubitare che la posizione originaria di questa lapide fosse differente dalla attuale. dato che, tra l'altro, la parte absidale era quella dove abitualmente si cominciavano i lavori e, ancora, dato che questa lapide scritta in capitali (salvo una aggiunta in gotica al fondo) concorda perfettamente con l'altra lapide, quella notissima retta a mo' di cartiglio dai profeti Enoc ed Elia, attualmente murata in facciata.

Se l'individuazione della scuola lanfrachiana distinta dalla lombarda, da noi raggiunta dopo un'ampia analisi di altri connessi monumenti emiliani, appare sempre più persuasiva (e quindi delle altre collegate e, in certo senso, derivate, cattedrali o abbaziali come quelle di Nonantola, Cremona, Ferrara, per esempio) la questione di fondo della cultura di Wiligelmo ha presentato veramente altri e gravi problemi all'indagine. Appariva infatti quanto meno problematico che Wiligelmo avesse potuto fissare alla facciata della sua cattedrale una serie di grandi lapidi lunghe quasi tre metri ed alte uno, inserite malamente (le misure infatti non tornano se non in un caso) negli intercolumni della fronte, due ad altezza-uomo e due sollevate adesso sopra i portali minori. La spiegazione fornita di consueto che le quattro lastre fossero all'origine tutte al medesimo livello e che venissero poi sollevate le due più esterne ad opera dei campionesi non è persuasiva perché resta da spiegare come mai queste lastre appunto potessero situarsi in facciata e come si potessero collegare poi all'iscrizione retta dai profeti Enoc ed Elia, iscrizione scolpita nella stessa pietra delle due statue le quali sono della medesima mano delle quattro lastre del Genesi (e ancora delle sculture che circondano la grande porta d'ingresso): dunque iscrizione da collegare strettamente al Genesi stesso.

La tesi che questa fosse la collocazione originaria delle lastre urta poi contro alcuni dati di fatto precisi: l'iscrizione dei profeti infatti dice: DUM GEMINI CANCER CURSUM CONSENDIT OVANTES // IDIBUS IN QUINTIS IUNII SUP TEMPORE MENSIS // MILLE DEI CARNIS MONOS CENTUM MINUS ANNIS // ISTA DOMUS CLARI FUNDATUR GEMINIANI // INTER SCULTORES QUANTO SIS DIGNUS ONORE // CLARET SCULTURA NUNC WILIGELME TUA ed i suoi versi finali — evidentemente — non possono essere riferiti alla sola epigrafe dei profeti, troppo piccola certamente perché renda « dignus onore » appunto Wiligelmo. È d'altro canto chiaro, anche ad un esame rapido dell'insieme, che tutte le sculture fissate in facciata formano di per sé un insieme assolutamente incoerente, un insieme, anzi vari insieme, che sono stati scomposti. Il riunire tutti questi frammenti è un compito, anzi è stato un compito, entusiasmante e particolarmente ricco di risultati. Infatti la questione sostanziale era scoprire come era arredata all'origine la Cattedrale lanfranchiana (e per converso quelle da essa derivate), e per arredo intendo quella serie di elementi plastici che ne formavano all'interno i punti nodali, i punti-chiave. È evidente che l'altare da un lato doveva essere un elemento tra questi (ma siamo stati 'finora' ben poco informati, ad esempio, sulla forma degli altari in questa epoca ed in questa regione), ed inoltre è chiaro che all'altare non si adatta l'iconografia narrativa delle storie del Genesi, né vi si adattano i soggetti di quattro sculture delle quali non ho ancora parlato, issate in alto, al sommo del rosone di facciata, rappresentanti i simboli dei quattro Evangelisti.

Un aiuto a risolvere questa intricata serie di problemi è venuto dal raffronto tra alcuni insieme conservati, in primo luogo alcuni pulpiti della medesima regione modenese, e questi quattro frammenti in parte mutili con gli animali evangelici. A Carpi e Rubbiano infatti, in provincia di Modena, si conservano due amboni con sulla fronte fissati proprio gli animali evangelici, e questi pulpiti appaiono per giunta derivare culturalmente dagli archetipi modenesi. Dunque un primo elemento dell'arredo interno della Cattedrale di Modena doveva essere appunto il pulpito; in secondo luogo l'altare, ma di che forma? Non certamente quella parallelepipeda attuale, specie se si considera la tradizione paleocristiana dell'altare che è cubico e che deriva appunto dall'ara romana e, ancora, se si pensa alla particolare cultura neoclassica nella quale viene operando Wiligelmo. L'altare dunque si compone di tre pezzi almeno fissati all'origine sulla fronte e sui fianchi, e sono appunto la lastra con Enoc ed Elia, i due profeti che non sono morti (allusione dunque all'eternità dell'anima ed al sacrificio della Messa), e i due geni reggifiaccola, che paiono uscire da qualche frontale di sarcofago romano (come quelli esistenti ancora al Museo di Ravenna od a Modena stessa nel Lapidario della Galleria Estense), e che hanno un significato anch'essi (la face mortuaria) solo in rapporto con la funzione dell'altare, con le reliquie del santo. Era dunque l'altare di San Geminiano così ricostruito il sarcofago del santo, quel sarcofago di cui parla la cronaca della traslazione del corpo, giuntaci in una redazione manoscritta alquanto tarda, ormai del principio del secolo XIII, ma che certamente si deve ad un testimone contemporaneo, forse a quel medesimo canonico Aimone che dettò l'epigrafe absidale e quella di facciata, quel canonico cui certamente si deve buona parte almeno del *revival* neoclassico e, in genere, culturale a Modena al principio del secolo XII, e che fu a capo della scuola annessa appunto alla Cattedrale, come del resto riprovano ancora numerosi codici conservati presso

Formella del fianco sud presso la Porta dei Principi.

quella biblioteca? Il problema è di agevole soluzione: l'altare del santo di cui si parla insiste infatti *sopra* il sarcofago collocato, come doveva essere anche in origine, nella cripta, quindi la cerimonia del 1106 dovette comprendere sì la traslazione del corpo del santo dall'antica chiesa alla attuale, ma insieme anche la consacrazione almeno della parte absidale del complesso.

La questione della traslazione è stata risolta dalla storiografia precedente: non si trasportò il corpo né da fuori Modena né da qualche chiesa sita in città, ma semplicemente, come del resto hanno mostrato scavi del secondo decennio del nostro secolo, la chiesa precedente, di pianta basilicale e a cinque navate, posta obliqua rispetto alla Cattedrale odierna, dovette ospitare la reliquia finché la parte terminale della nuova non venne conclusa, e solo allora si poté abbattere l'edificio antico. Intanto era stata iniziata anche la facciata del nuovo Duomo così che, in prosieguo di tempo, nel corso del primo decennio con ogni probabilità, la muratura partita dall'abside e dalla facciata trovò la sua sutura in un punto ancora oggi sul lato sud individuabile perché un'arcata appare di un metro più stretta delle altre.

Resta però da risolvere il problema ultimo di questa serie di sparse sculture, quello della collocazione del complesso delle lastre con storie del Genesi. Siamo qui in presenza di uno dei massimi insieme della scultura occidentale, che dimostra la civiltà altissima del suo autore, la sua cultura che sta alla pari di quella del maestro dei capitelli di Cluny, di quella del maestro (uno solo, ci sembra) delle sculture del deambulatorio del Saint-Sernin a Toulouse e di quella — ancora — dell'autore dei pilastri del chiostro di Moissac, tutte opere databili entro la fine del secolo XI. Wiligelmo si mostra qui assai più cosciente della presenza classica romana, un classico che è però principalmente il tardo antico italo-settentrionale, come del resto è chiaro non solo nei 'reggifiaccola' sopra esaminati, ma in molti altri particolari delle sue opere: nel tipo di reinvenzione del corinzio romano operato nei capitelli sulle colonne classiche (di recupero) all'interno e, ancora, nella serie delle sculture del portale mediano di facciata. Wiligelmo poi, nel Genesi, inventa una serie

di lastre che, veramente, non possono non essere state pensate per una lettura continua, orizzontale, al medesimo livello, non interrotta quindi da alcuna pilastrata, da alcun saliente, una serie di lastre la cui collocazione è molto meno misteriosa di quanto possa apparire. Si pensi infatti che attualmente, davanti alla facciata, è montato un protiro, opera di risistemazione campionese, retto da due leoni romani all'origine non ritti sulle zampe (di restauro!), leoni che sono da collegare, per le stesse misure e serie, con un altro ora situato in alto in cima alla porta laterale sul fianco sud costruita anch'essa dai campionesi e detta ' regia ', l'altro (mutilo della parte anteriore del muso) sito ancora al lapidario estense; dunque quattro leoni romani da seriare insieme. Se si pensa adesso che gli attuali accessi alla cripta sono senza dubbio non originari e, ancora, che nel settentrione italiano ed a Modena stessa è diffusa una tipologia architettonica particolare, che usa per sostegno appunto leoni: il pontile, sarà più chiara la ragione per cui l'insieme delle lastre (che per misure poi ben si adatta a dividere presbiterio da navata nella chiesa) con le storie del Genesi dovette essere collegato insieme, retto dai quattro leoni romani, a formare un unico, grandioso fregio plastico, alto forse non più di due metri rispetto alla navata. Era, il pontile con storie del Genesi, legato strettamente dunque all'altare coi profeti biblici Enoc ed Elia ed alla iconografia biblica del portale di facciata; era anche stilisticamente un insieme connesso ai quattro simboli evangelici e databile dunque entro il 1106, con un rovesciamento quindi della interna cronologia delle sculture wiligelmiche appunto del Genesi, di solito assegnate invece al periodo tardo dell'artista.

Direi che una lettura di questo ciclo imponente non può che confermare queste conclusioni filologiche, tanto una analisi precisa delle lastre assume ricchezza di motivazioni e accento da una considerazione dell'insieme in quella originaria posizione. Anche la frase della lastra dei profeti ha quindi senso, se riferita appunto all'insieme imponente del pontile-altare-pulpito, quest'ultimo probabilmente fissato all'ultima colonna sulla sinistra entrando in Cattedrale, prima del pontile medesimo.

Sezione longitudinale del Duomo (da « L'Architettura »).

Ma la cronologia interna di Wiligelmo implica anche chiarire alcuni altri punti ed in primis vedere se veramente, come pure è stato detto, si possa prescindere, per la sua formazione, dalla grande cultura renana attorno al 1000 ed ai seguenti decenni, la cultura delle porte bronzee, specie quelle di Hildesheim, ma anche di Augsburg e, ancora, quelle lignee di Santa Maria in Capitol a Colonia, cronologicamente ulteriori agli insieme ricordati ma sempre precedenti di almeno venti anni l'opera modenese di Wiligelmo. La questione della cultura renana e quindi del romanico renano oppure dell'arte renana quale arte ottoniana è mal posta; infatti nella *romània*, cioè nell'occidente romanizzato, l'unità di cultura appare coerente e costante sia nel secolo XI che nel XII-inizi, e quindi sembra impossibile eliminare proprio l'asse renano che è l'asse dell'impero d'occidente e della cultura delle grandi abbaziali, per isolarlo come sterile arte di corte, quasi che l'altra arte, l'arte detta ' romanica ', di Moissac o di Toulouse, non fosse meno culta e meno legata ai centri episcopali od abbaziali della cultura. Gli schemi sociologici purtroppo suonano, a volte, così nel nostro caso, falsi e inadempienti e, del resto, i confronti palmari tra le opere renane e queste wiligelmiche non possono non persuadere che la cultura di Wiligelmo è europea nel senso da noi indicato. Semmai rispetto a Moissac (i pilastri del chiostro) in Wiligelmo il rapporto con l'antico è molto più diretto e vivo, mentre là la cultura degli avori renani di epoca tardocarolingia contribuisce maggiormente a creare una lingua siglata e allusiva; là dunque, semmai, abbiamo un accademismo grafico, non a Modena, né tanto meno nelle sculture ora nel deambulatorio del Saint-Sernin a Toulouse che escono anch'esse dalla grande idea delle statue romane in nicchie, statue (cioè lastre) con ogni probabilità fissate ad un portale d'ingresso, una specie di arco di trionfo, nella iconologia della porta della *ecclesia* come ingresso alla casa del Signore assai indicativo. Come si vede solo a livello europeo si spiega la cultura di Wiligelmo e anche le sue opere più avanzate, come quelle splendide del portale di facciata, lo confermano. Wiligelmo opera qui con almeno un aiuto ma quel che a noi interessa cogliere è il fatto della ripresa del racemo

nel tipo tardoantico, quale ad esempio al Palazzo di Diocleziano a Spalato, cioè con figure inserite, e non, come in epoca augustea, solo fogliato. Le figure dei profeti nell'entradosso degli stipiti sono uno degli insieme più coerenti e significativi dello scultore, e la loro stessa prossimità ad Enoc ed Elia della lastra dell'altare ne conferma la vicinanza cronologica e quindi una datazione tra 1106 e 1110 circa.

Le opere ulteriori di Wiligelmo e della sua bottega di lapicidi sono, con ogni probabilità, i capitelli di facciata e di abside, seguiti da quelli sul lato nord e da quelli sul lato sud; questi due ultimi gruppi (entro i quali andrebbero fatte ulteriori, ma non sempre utili, distinzioni di mano) principalmente di due differenti ma collegati autori.

Wiligelmo anche qui reinventa (e non possiamo pensare che ciò sia accaduto senza la più stretta collaborazione con Lanfranco) il capitello, lo fa diventare capitello narrativo, non semplicemente inserendo (come per esempio in seguito Niccolò a Ferrara) sculture nel fogliato corinzio, ma modellando l'animale o le figure secondo l'architettura, trasformando i capitelli da punto di sutura tra due getti d'arcata in punto di stazione in quanto — appunto — insieme narrativo. Giustamente la critica ha proposto il nome di Wiligelmo per i capitelli di facciata e a questi è possibile aggiungere ancora alcuni altri capitelli absidali (già dati al Maestro degli Evangelisti) tra cui splendido il capitello degli acrobati-telamoni. In questi blocchi plastici lo scultore elabora ancora la lingua sensibile e potente del Genesi, accentuando la fluidità della materia, le sue turgide tensioni, la ricchezza espressiva, il morbido trattamento. È da quest'ultimo Wiligelmo del resto che muoverà la parte più ricca e viva della scultura emiliana dei decenni ulteriori, a Piacenza come a Ferrara.

Resta da parlare degli altri due maestri, del Maestro della Pescheria e di quello dei Principi, ambedue contemporanei di Wiligelmo ed autori delle due porte, anch'esse all'origine senza protiro, come vedremo, site ambedue verso la parte absidale, a favorire l'accesso alla zona del presbiterio, disposte come a T rispetto all'ingresso di facciata.

Pianta del Duomo (da « L'Architettura »).

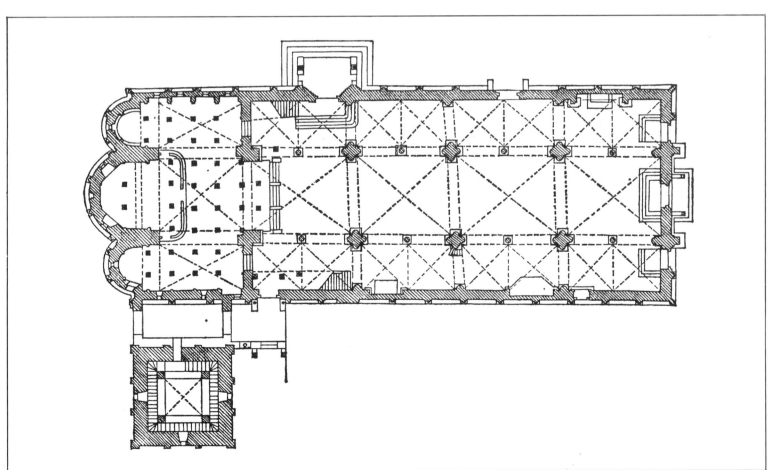

Si tratta di due maestri di valore nettamente differente; quello dei Principi è un discreto narratore, istoria la fronte del suo architrave (ora la porta è prossima alla facciata ma, con la costruzione duecentesca della porta Regia, è stata spostata dalla sua collocazione originaria presso le absidi) con storie del santo eponimo della Cattedrale, San Geminiano, scandendo ogni campo con i divisori di pietra, diversamente da quanto aveva fatto nel Genesi Wiligelmo, e raccontando con una micrografia accentuata i particolari privi di spazio dell'insieme. In conclusione dunque il maestro di questa porta, che era la porta verso l'Episcopio (e per questo, oltre che le storie del Geminiano, primo vescovo di Modena, reca anche nell'entradosso degli stipiti gli Apostoli), è sì un discreto narratore, ma anche un traduttore mediocre dell'opera del capobottega.

Diverso il discorso pel Maestro della Pescheria autore della porta posta dall'altro lato della Cattedrale, la porta dei pellegrini, la porta cioè affacciata sulla via Emilia, che appunto era sezione della strada Romea, della strada dunque che dai centri francesi e renani recava, per vari itinerari, a Roma, sede delle reliquie, tra l'altro, degli apostoli Pietro e Paolo, la strada che era anche quella del grande commercio medievale, dopo essere stata quella principale di comunicazione al tempo dell'impero romano. E appunto l'iconografia del portale è significativa: nell'entradosso degli stipiti i mesi, sulla fronte dell'architrave animali delle favole medievali (quella della volpe e dei galli, per esempio); sulla fronte dell'archivolto le storie di Re Artù, che sono qui date in una versione anteriore forse di quarant'anni alla prima loro trascrizione, di Goffredo di Monmouth. La caratteristica di questo maestro, assai più vivo e ricco di quanto non sia quello della porta opposta, dei Principi, è una estrema intensità di segno, un senso spaziale accentuato, una vivacità espressiva che è chiara nella splendida serie dei mesi, raffigurati come una specie di 'opere e i giorni' dell'uomo, riprova del nuovo contatto col mondo che la rivoluzionaria iconografia wiligelmica suggerisce ai più diretti seguaci.

L'ultimo grandissimo maestro modenese, ultimo anche in cronologia, forse attivo nel II decennio, ma sempre collegato strettamente a Wiligelmo ed alla sua tradizione narrativa, è il così detto Maestro delle Metope, dalla serie dei rilievi fissati, in epoca abbastanza recente, in alto sui contrafforti della navata centrale, ora provvidamente riparati all'interno del Museo dell'Opera. Siamo qui davanti ad uno dei massimi scultori di quest'epoca in occidente, come per Wiligelmo, ma ad un artista che è soprattutto un grandioso stilista, più che un umanissimo raccontatore come Wiligelmo, un artista che dovette avere sotto occhio, quanto meno, qualche scultura tardoantica di area aquileiate, tanto sono caratteristici i giochi raffinati e sottilissimi delle pieghe, la loro grafia sottile, le tensioni delle membra che si indovinano sotto.

Molti altri gli scultori attivi alla Cattedrale modenese, ma l'epoca di Lanfranco e Wiligelmo appare ormai, da questi elencati, pienamente illustrata, e così l'architettura e l'arredo interno della prima Cattedrale conclusa con ogni probabilità entro la fine del secondo decennio del secolo XII.

Avviene però, ben pochi anni dopo, mentre la situazione politica italiana va profondamente cambiando, mentre si vanno diffondendo anche le eresie cristologiche nel settentrione e quelle così dette catare (e i patarini a Milano), mentre anche la città si viene estendendo e va inglobando man mano, come del resto tanti centri emiliani, la Cattedrale nel giro delle antiche mura, avviene che una maestranza di cultura provenzale-lombarda, i

maestri campionesi, sia chiamata a modificare a fondo l'insieme della Cattedrale, specie all'interno, oltre che a completare alcune sezioni, come il campanile, rimasto fermo, all'epoca wiligelmica, forse tra terzo e quarto ripiano.

Chi sono i Campionesi? Una maestranza iterante per il settentrione, formatasi in quella unità di cultura che è la zona lombardo-ligure-provenzale in questi anni, una maestranza che, rispetto allo stile aulico wiligelmico, pone l'accento sul racconto realistico e sulla stilizzazione, cioè su un tipo di descrizione più facile e certo didascalica. È a questa maestranza che viene commesso il nuovo pontile, questa volta non più con storie del Genesi, ma con storie cristologiche, quali l'Ultima cena (che simboleggia fra l'altro il potere carismatico della chiesa), e la Passione di Cristo, cui in seguito sarà aggiunto il pulpito con gli Evangelisti (non più i simboli) mostrati mentre viene loro dettato il Vangelo dai simboli evangelici. È adesso che quindi, per ragioni ideologiche, se così si può dire, viene smontato il pontile di Wiligelmo, e in seguito anche l'altare, con il pulpito, e i vari pezzi fissati o all'interno o forse subito all'esterno, sebbene questa specie di museo archeologico sulla fronte della Cattedrale individui — mi sembra — un gusto rinascimentale piuttosto che del principio del secolo XIII. L'insieme del pontile nuovo viene a sostituire quello di Wiligelmo, ma altre modifiche, architettoniche queste, completano la manomissione del grande monumento modenese; la prima è la creazione del rosone di facciata che si lega direttamente alla erezione delle volte interne (non se ne sarebbe vista la ragione senza che queste, che limitano la luce di molte finestre alte della nave mediana, fossero state già ora edificate), rosone che, con la sua luce fortissima, spacca il ritmo pacato, plastico delle strutture lanfranchiane; la seconda è l'apertura di una specie di seconda facciata della chiesa sul lato sud, dov'è la piazza grandissima (ora ristretta per la costruzione di un moderno casermone), e dove affacciavano, oltre al palazzo del vescovo, i nuovi palazzi del Comune. La porta sarà detta 'regia' ed eretta nel secondo e terzo decennio del XIII secolo con una imponenza che costringerà probabilmente a dotar di protiri, ricomposti con vari avanzi di insieme smembrati all'interno, anche gli altri ingressi. Infine si aggiungono in alto, non potendosi in pianta, i transetti destro e sinistro che sono anche adesso facilmente riconoscibili come aggiunte per il diverso colore della breccia rosa di Verona, rispetto ai bianchi ed ai grigi precedenti.

Nella sostanza la Cattedrale di Modena ci è pervenuta come l'hanno lasciata i Campionesi; le aggiunte e gli arricchimenti ulteriori più preziosi del suo patrimonio figurativo sono quelli dovuti ai maestri di tarsia ed in particolare a Cristoforo da Lendinara il quale è autore del coro sito nell'abside, un insieme importantissimo per la storia della diffusione della cultura albertiana nel settentrione, e suoi sono pure i quattro splendidi e famosissimi Evangelisti, conservati adesso in sagrestia. Altro esempio di esperienze pierfrancescane e albertiane in Emilia è l'insieme notevole degli affreschi siti subito a destra entrando, di recente restaurati da Renato Pasqui, assegnabili al 1460 circa ed alla cultura di Cristoforo da Lendinara.

In sagrestia e nell'annessa biblioteca si conservano poi alcuni preziosi codici, e, nel tesoro, un altare portatile da assegnare ad epoca wiligelmica forse operato nel settentrione italiano.

Ma l'insieme architettonico-plastico della Cattedrale modenese resta caratterizzato principalmente dai due monumenti lanfranchiano-wiligelmico e campionese: ancora, si è veduto, perfettamente ricostruibili.

nota bibliografica

AIMONE CANONICO (?), *Vita di San Geminiano*, ediz. Bortolotti, in « Monumenti di Storia Patria per le province modenesi », serie cronache, t. XIV, I, Modena, 1886; BERTONI, *Relatio Translationis corporis sancti Geminiani*, Atlante paleografico del Duomo di Modena, Modena, 1909; MURATORI, *Annales veteres mutinensium*, Rerum Italic. Scriptores, t. XI; *Cronache modenesi di Alessandro Tassoni, Giovanni da Bazzano e Bonifacio da Morano*, a cura di Vischi-Sandonnini-Raselli, in « Monumenti di Storia Patria per le province modenesi », cronache, Modena, 1888.

F. ARCANGELI, *Tracce di Wiligelmo a Cremona*, in « Paragone », II, 1951; G. C. ARGAN, *L'architettura paleocristiana, preromanica e romanica*, Firenze, 1936; E. ARSLAN, *L'architettura romanica milanese: la scultura romanica*, in « Storia di Milano », III, 1954; M. AUBERT, *La sculpture française au moyen Age*, Paris, 1946; A. BARBACCI, *Il restauro del Duomo di Modena*, in « Bollettino d'arte », 1953; H. BEENKEN, *Neuere literatur zur ausserdeutschen Plastik romanischer Zeit*, in « Repertorium für Kunstwissenschaft », 1928; E. BERTAUX, *La sculpture en Italie de 1070 à 1260*, in « Histoire de l'Art », diretta da A. Michel, I, Paris, 1905; G. BERTONI, *Atlante storico-paleografico del Duomo di Modena*, Modena, 1909; G. BERTONI, *La cattedrale modenese preesistente all'attuale*, Modena, 1914; G. BERTONI, *Atlante storico artistico della cattedrale di Modena*, Modena, 1921; P. BORTOLOTTI, *Di un antico ambone modenese*, sta in « Memorie della R. Accademia di Scienze, Lettere ed Arti », sezione Arti, s. II, I, Modena, 1881; L. CICOGNARA, *Storia della scultura in Italia*, Venezia, 1813-1818; F. DARTEIN, *Etude sur l'architecture lombarde*, Paris, 1865-82; G. DEHIO-G. V. BEZOLD, *Die kirchliche Baukunst des Abendlandes*, Stuttgart, 1892; P. DESCHAMPS, *La légende arturienne à la cathédrale de Modène*, in « Monuments Piot », XXVIII, 1925-1926; C. ENLART, *L'Architecture romane* (Italie), in « Histoire de l'Art », diretta da A. Michel, I, Paris, 1905; H. FOCILLON, *L'Art des Sculpteurs romans*, Paris, 1931; G. DE FRANCOVICH, *Wiligelmo da Modena e gli inizi della scultura romanica in Francia e in Spagna*, in « Rivista del R. Istituto di archeologia e storia dell'arte », VII, Roma, 1940; G. DE FRANCOVICH, *Benedetto Antelami e l'arte del suo tempo*, Milano-Firenze, 1952: P. FRANKL, *Der Dom in Modena*, in « Jahrbuch für Kunstwissenschaft », IV, 1927; R. HAMANN, *Deutsche und französische Kunst im Mittelalter*, I, Marburg, 1922; R. JULLIAN, *L'éveil de la sculpture italienne; la sculpture dans l'Italie du nord*, Paris, 1945; R. LONGHI, *Arte italiana e arte tedesca*, in « Romanità e Germanesimo », Firenze, 1941; E. MÂLE, *L'architecture et la sculpture en Lombardie*, in « Gazette des Beaux Arts », LX, 1918; L. OLSCHKI, *La cattedrale di Modena e il suo rilievo arturiano*, in « Archivum Romanicum », XIX, 1935; A. K. PORTER, *Lombard Architecture*, New York, 1917; A. K. PORTER, *Bari, Modena, St. Gilles*, in « Burlington Magazine », 1923; A. K. PORTER, *Romanesque sculpture of the Pilgrimage Roads*, Boston, 1923; A. K. PORTER-S. R. LOOMIS, *La légende archéologique à la cathédrale de Modène*, in « Gazette des Beaux Arts », 1928; A. QUINTAVALLE GHIDIGLIA, *ad vocem* sui freschi del sec. XIII staccati dall'esterno della cattedrale, in « Arte in Emilia », II, I, Parma, 1962; A. QUINTAVALLE OTTAVIANO, *Localizzazioni romaniche nella montagna reggiana*, in « Atti del VI convegno internazionale di storia della architettura », 1939, Milano, 1940; A. C. QUINTAVALLE, *La cattedrale di Modena*, Modena, 1964-1965; A. C. QUINTAVALLE, *Da Wiligelmo a Niccolò*, Parma, 1966; G. T. RIVOIRA, *Le origini della architettura lombarda*, Milano, 1908; R. SALVINI, *Wiligelmo e le origini della scultura romanica*, Milano, 1956; P. TOESCA, *Il medioevo*, Torino, 1927; G. C. VITZTHUM-W. F. VOLBACH, *Die Malerei und Plastik des Mittelalters in Italien*, Wildpark-Potsdam, 1924; M. E. ZIMMERMANN, *Oberitalische Plastik im frühen und hohen Mittelalter*, Leipzig, 1897.

didascalie

1 *Modena, Duomo. Veduta generale dalla parte absidale.*

2 *La parte alta della facciata con la Ghirlandina.*

3 *Prospetto della facciata.*

4 *Portale centrale.*

5 *Portale centrale (particolare).*

6 *Rilievo del Genesi: Creazione e Peccato originale.*

7 *Rilievo del Genesi: Cacciata dal Paradiso terrestre e primo lavoro dell'uomo.*

8 *Rilievo del Genesi: particolare da fig. 7.*

9 *Rilievo del Genesi: Morte di Caino, l'Arca di Noè e uscita dall'arca.*

10 *Rilievo del Genesi: Sacrificio di Abele e Caino e Uccisione di Abele.*

11 *Rilievo del Genesi: particolare da fig. 10.*

12 *Porta della Pescheria nel fianco nord.*

13 *Veduta dell'abside.*

14 *Veduta dell'abside col transetto sud.*

15 *Particolare del fianco sud.*

16 *Porta Regia nel fianco sud.*

17 *Porta Regia (particolare).*

18 *Interno verso la facciata.*

19 *Veduta di una nave minore.*

20 *Interno verso il pontile.*

21 *Interno, particolare del pontile.*

22 *Interno, particolare del presbiterio.*

23 *Scorcio del pontile.*

24 *Prospetto del pontile.*

25 *Interno verso l'abside.*

26 *Rilievo dell'Ultima Cena sul pontile.*

27 *Rilievo dell'Ultima Cena (particolare).*

28 *Rilievo con il Bacio di Giuda sul pontile.*

29 *Cariatidi del pontile.*

30 *Telamone e leone stiloforo del pontile.*

31 *Leoni stilofori del pontile.*

32 *Acquasantiera (particolare).*

Servizio fotografico di Raffaello Bencini e Liberto Perugi.

1

2

3

5

6

7

9

10

11

13

14

15

27

THOMAS · BARTHOLOM̅S · THADEVS · IACOBVS · IVDAS · IOHSEV̅

28